我爱洗澡

〔日〕林明子·图　〔日〕松冈享子·文　彭懿·译

南海出版公司
2008·海口

我最喜欢洗澡了。

我洗澡的时候，总是带着小鸭子波卡。

波卡也很喜欢洗澡。

嘎啦嘎啦嘎啦，打开浴室门。

浴室的地很滑，要小心哟!

打开浴缸的盖子，

哈，热气腾腾！

波卡先进到了浴缸里。

"波卡，水热不热？"

我问。

"不冷也不热，正合适。"

波卡回答道。

我冲完身子，也进到了浴缸里。

"阿真，水热不热？"

妈妈在门外边问道。

"不冷也不热，正合适。"

泡了一会儿，我从浴缸里出来，开始洗身子。

我会自己洗。

毛巾抹上肥皂，搓搓胳膊，搓搓肩膀，搓搓前胸，搓搓后背，

使劲儿搓就好啦。

波卡不洗身子，只知道在浴缸里玩。

扑通……扑通……扑通……

我还以为波卡钻到水里不出来了呢，可它又慌里慌张地浮了上来，叫道：

"阿真，浴缸底下有一只大海龟！"

哗啦啦——

一只大海龟从水里钻了出来。

"海面上可比海底热多了。"

海龟说。

"这里才不是大海呢！"

波卡说。

"嘿嘿嘿，不是大海，难道是大河吗？"

海龟问。

"也不是大河。是一个浴缸，我们家里的浴缸！"

我说。

只见海龟伸长了脖子，说：

"是吗？那么请问，浴缸里也有企鹅吗？"

我回头一看，身后站着两只企鹅。

是两只小企鹅，长得一模一样，个头也一样高。

它们俩一齐冲我行了个礼。

"你好，我是企鹅吉姆！"一只企鹅说。

"我是吉恩，你好！"另一只企鹅说。

"我们是双胞胎。"两只企鹅齐声说。

"不过，现在我是哥哥。来的时候我们俩比赛，我赢了！"吉姆说。

"是呀，我们俩总是比赛，谁赢了，谁就是哥哥。"吉恩说，

"所以呀，你别看现在吉姆是哥哥，在这之前，我是哥哥！"

"可是，在这之前的之前，我是哥哥呀！"吉姆说。

"在这之前之前的之前，我是哥哥！"吉恩说。

"在这之前之前之前的之前……"吉姆刚说到这儿，我手里的肥皂一滑，掉到了地上。

地上滑溜溜的，肥皂一下子滑走了。

"我们来比赛吧，谁先抓住那块肥皂，谁就是哥哥！"

说完，两只企鹅就"嗖"地一下滑了出去，去追肥皂了。

企鹅是用肚皮来滑行的，一眨眼就滑出老远！

肥皂在一块光溜溜的大石头那里停了下来。

吉姆和吉恩几乎同时到达。

吉恩稍快了一丁点儿，它正要用嘴去叼肥皂，

那块光溜溜的大石头突然动起来，

一口就把肥皂给吞了下去。

我们吃惊地抬头一看，哪里是什么大石头，原来是一头大大的、大大的海狗！

海狗明明把肥皂吞下肚去了，却装出什么也没干的样子，仰着头一动也不动。

过了一会儿，从海狗的嘴里冒出来一个肥皂泡。

一个，又一个……一个接着一个，浴室里全是小小的肥皂泡。

我们都被肥皂泡给迷住了，
只见海狗把一个肥皂泡顶在鼻子尖上，
滴溜溜地转了起来。
转着转着，肥皂泡越来越大。

转啊转啊，一点点变大了……
转啊转啊，一点点变大了……

最后，肥皂泡变得跟天上的月亮一样大了。
突然，"砰"的一声巨响，肥皂泡破了！

这时，从身后传来了一个细细的声音：

"不要吓我好不好！你们还不知道吧，我胆子可小呢！"

大家一看，

一头又肥又大的河马，从水里探出头来。

河马慢吞吞地出了浴缸，来到我的身边。

它看着还留在地上的肥皂泡沫，对我说：

"你能帮我洗洗身子吗？你们还不知道吧，我可爱干净了！"

于是，我用毛巾蘸上肥皂泡，开始洗起河马的身体来。

哈，擦出来好多肥皂泡。

"当心，别把肥皂弄到我的眼睛里去，会杀眼睛的！"

河马说。

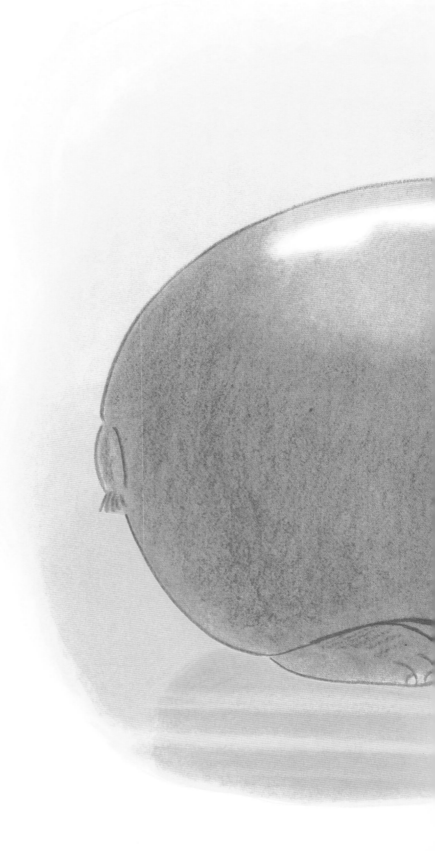

"还有，别忘了帮我洗耳朵后边啊！"

噌噌噌，我开始擦河马的耳朵后边。

然后，我一下子想起来，自己的耳朵后边还没洗哪，顺便也洗了吧。

"再帮我好好洗一洗脚趾头。"河马说。

我帮河马洗了脚趾头，顺便也洗了自己的脚趾头。

把巨大的河马彻底洗干净了，正要用水冲的时候，

浴室里响起了一个洪亮的声音。

"来，让我来给你们淋浴吧！"

哗——

像下雷阵雨似的，热水从天而降。大家一看，原来是一头大鲸鱼。

河马身上的肥皂泡泡，都被冲走了。

我身上的泡泡，也不见了。

河马大概是害怕肥皂进到眼睛里，还紧紧地闭着眼睛哪。

淋浴停止了。

"谢谢！"

我冲大鲸鱼道谢。

"这是我应该做的。不客气。"

大鲸鱼笑呵呵地说。

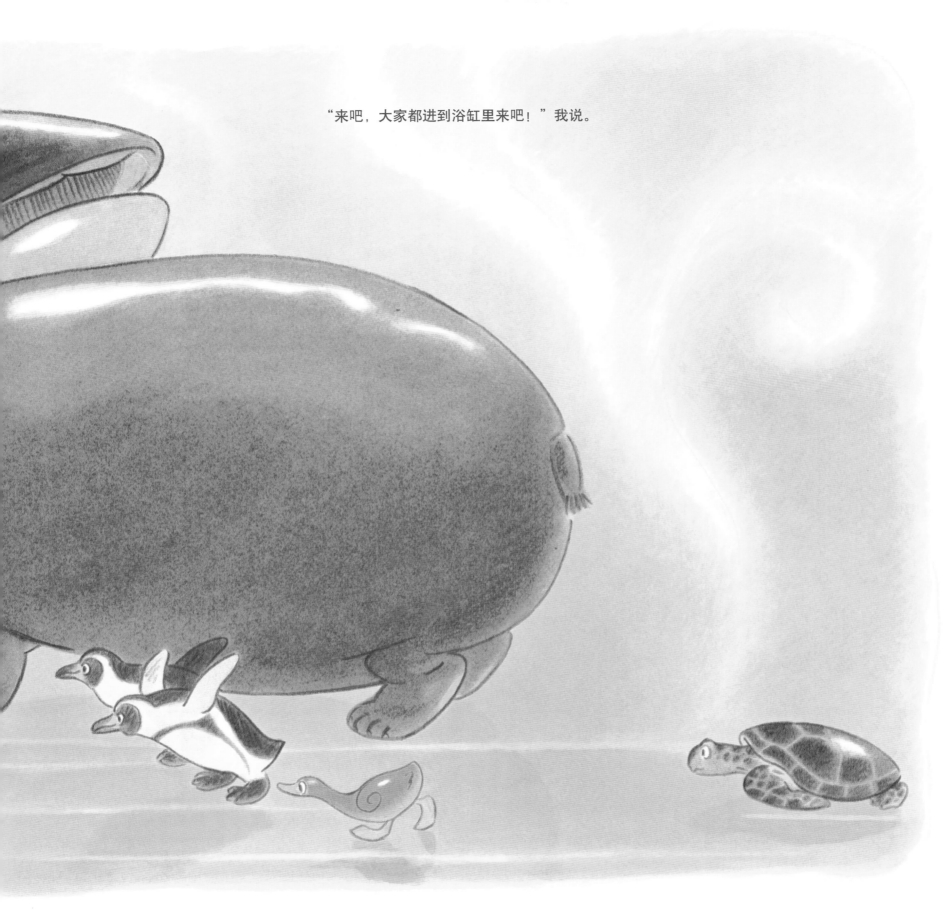

"来吧，大家都进到浴缸里来吧！"我说。

"然后，我们把身子全泡在热水里，数到 50 再出来！"

河马"哗啦"一声进到了水里。

企鹅吉姆和吉恩"啪嗒啪嗒"地拍打着翅膀，进到了水里。

海龟吭哧吭哧地进来了。

波卡轻快地跳了进来。

我先数到了 10：

"1，2，3，4，5，6，7，8，9，10！接下来，该波卡了！"

波卡咳嗽了一声，数道："11，12，13，15，18，16，20！"

"接下来，该你了！"波卡看了海龟一眼。

海龟说："嗯——20 完了是 30，嗯——30！"

"海龟耍赖！"

吉姆和吉恩哧哧地笑着说。

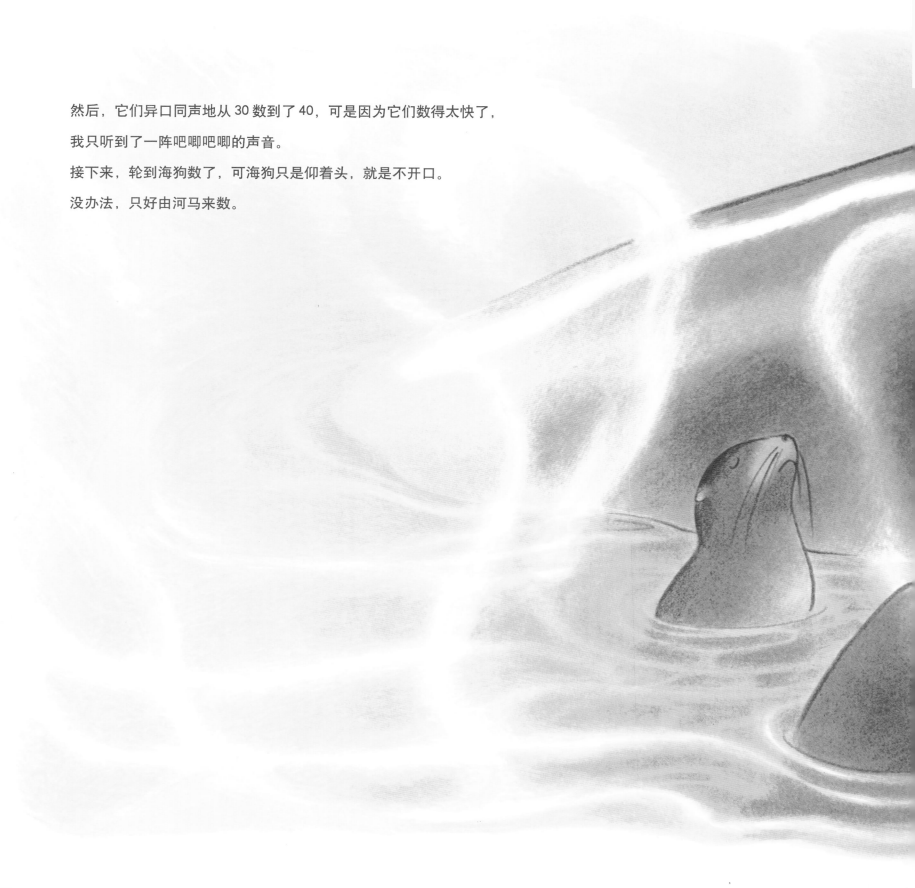

然后，它们异口同声地从 30 数到了 40，可是因为它们数得太快了，

我只听到了一阵吧唧吧唧的声音。

接下来，轮到海狗数了，可海狗只是仰着头，就是不开口。

没办法，只好由河马来数。

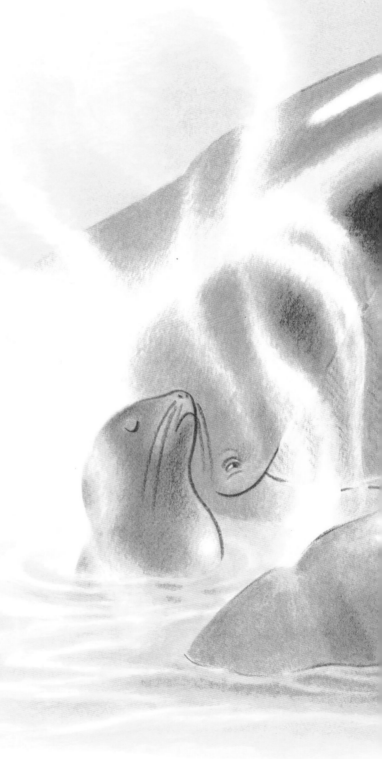

"太简单了！你们还不知道吧，我是一个数学天才！"

河马沉着地数了起来。

当它数到 49 时，大鲸鱼好像早就准备好了似的，大声叫道："50！"

它的嘴巴张得太大了，好像肚子里的东西都可以看到。

听到这个喊声，妈妈来了。

妈妈把浴室的门打开了一道缝，探进头来，说：

"洗好了吗？来，出来吧！"

妈妈一探头，大鲸鱼、河马，还有别的动物，全都钻到水里藏了起来，

然后，就再也没有出来。

只有波卡没有藏起来。

我带着波卡，出了浴缸。

走出浴室，妈妈正张开大浴巾等着我呢。

我朝大浴巾扑了过去。

嚓嚓嚓，

好好擦，

啪啪啪，

嗯，好香啊，好舒服。

我最喜欢洗澡了。你也喜欢洗澡吗？

图书在版编目(CIP)数据

我爱洗澡／〔日〕松冈享子编文；〔日〕林明子绘；彭懿译.
－海口：南海出版公司，2008.9
ISBN 978-7-5442-4223-3

Ⅰ.我… Ⅱ.①松…②林…③彭… Ⅲ.图画故事－日本－现代 Ⅳ.I313.85

中国版本图书馆CIP数据核字（2008）第106190号

著作权合同登记号　　图字：30 - 2008 - 145

OFURO DAISUKI (I Love to Take Baths!)

Text © Kyoko Matsuoka 1982

Illustrations © Akiko Hayashi 1982

Originally published in Japan in 1982 by FUKUINKAN SHOTEN PUBLISHERS, INC..

Simplified Chinese translation rights arranged with FUKUINKAN SHOTEN

PUBLISHERS, INC., TOKYO.

through DAIKOUSHA INC., KAWAGOE.

All rights reserved.

WO AI XIZAO

我爱洗澡

作　者	〔日〕松冈享子		绘　者	〔日〕林明子
译　者	彭　懿		责任编辑	邢培健
内文制作	杨兴艳		丛书策划	新经典文化 www.readinglife.com
出版发行	南海出版公司（570206　海口市海秀中路51号星华大厦五楼）　电话（0898）66568511			
经　销	新华书店		印　刷	北京国彩印刷有限公司
开　本	788毫米×1091毫米　1/12		印　张	4
字　数	5千		版　次	2008年9月第1版　2008年9月第1次印刷
书　号	ISBN 978-7-5442-4223-3		定　价	29.80元